Gered door de honden

RUGZAKAVONTUUR

RUGZAKAVONTUUR

www.leopold.nl

Hans Kuyper

Gered door de honden

Leopold / Amsterdam

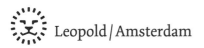

RUGZAKAVONTUUR

NEDERLANDSE
KINDERJURY
2007

AVI 8

Eerste druk 2006
© 2006 tekst: Hans Kuyper
Omslag en illustraties: Els van Egeraat
Omslagontwerp: Rob Galema
Uitgeverij Leopold, Amsterdam / www.leopold.nl
ISBN 90 258 5038 3 / NUR 282/283

Inhoud

Op ski's

'Aan de kant! Merel, aan de kant!'

Merel kijkt niet om; ze weet wel wat er aan de hand is. Achter haar, op het laatste steile stuk van de helling, komt Melle naar beneden op zijn snowboard. Hij heeft een heel eigen stijl. Het komt erop neer dat hij vooral probeert niet te vallen.

Merel prikt haar stokken in de sneeuw en maakt een paar snelle schaatsslagen. Ze is maar net op tijd: op de plek waar ze net nog stond, verliest Melle zijn wedstrijd met de zwaartekracht. In een wolk van sneeuw glijdt hij nog een paar meter door, op zijn rug, tot hij tegen het hek naast de skilift belandt.

De jongen van de lift blijft gewoon zijn krantje lezen, hij haalt alleen luidruchtig zijn neus op. Hij kent Melle ook; de afgelopen dagen is die al honderd keer op deze manier beneden gekomen.

Had hij maar gewoon ski's moeten kiezen, denkt Merel. Een snowboard is heel wat anders. Maar hij wilde natuurlijk indruk maken op de Finse meisjes – die er niet zijn, op een paar peuters na. Altijd iets geks willen, en nooit toegeven dat het misschien een verkeerde keus is geweest. Liever blauwe plekken en builen op zijn kop, zo is Melle. Kijk hem nou eens zielig hinkelen met dat zware board aan zijn voet.

Merel zet zich af, draait een sierlijk bochtje en is net vóór haar tweelingbroer bij de skilift. Ze steekt haar tong uit.

'Koude rug?' vraagt ze.

'Jij met je ouderwetse plankjes,' gromt hij. 'Het eerste stuk ging heel goed. Die ene skilerares lachte nog naar me.'

'Ze lachte je uit. Iedereen lacht je uit.'

'Wacht maar tot de wedstrijd zaterdag,' zegt Melle verbeten.

Merel krijgt het anker van de sleeplift aangereikt. Handig haakt ze het achter haar billen en laat zich naar boven trekken.

'*Kiitos*,' roept ze naar de jongen van de lift. Kiitos betekent dankjewel en het is een van de twee Finse woorden die Merel kent. Het andere is *porropizza*, een pizza met rendiervlees. Maar dat zeg je niet tegen iemand die je geholpen heeft.

Achter haar worstelt Melle met zijn anker en even later staat de lift weer stil: hij is eruit gevallen. Merel hoort hem vloeken in de sneeuw.

Zuchtend kijkt ze om zich heen. Mooi is het hier in Finland. Langs de piste liggen hoge rotsblokken, wit bevlekt met stuifsneeuw en ook de takken van de dennen buigen diep onder een zware, witte last. Zo ver als ze kan kijken zijn de ronde heuvels wit en daartussen liggen de wouden, grijs gestreept onder de lichtblauwe hemel. En overal is het stil en leeg – behalve dan vlak achter haar, waar Melle nog wat namoppert terwijl de lift zich weer in beweging zet.

Het duurt een minuut of twee, dan is Merel bovenaan de piste. Ze maakt zich klaar om het anker weg te duwen en zo snel mogelijk opzij te skiën, omdat je nooit weet hoe Melle uit de lift zal komen. Nog vijf meter, nog vier...

Dan ziet ze iets vreemds. Een man. Hij staat achter het motorhuis van de skiliften, half verborgen met zijn rug tegen de muur. Hij heeft geen ski's of snowboard bij zich. Hij draagt een normale spijkerbroek en een donker jasje, geen skikleding. Op zijn hoofd staat een muts van zwart bont, zoals Russische soldaten die dragen. Als hij merkt dat Merel naar hem kijkt, trekt hij zich terug achter het huisje.

Merel vergeet het anker los te laten. Met een klap komt ze terecht tussen de stokken die het eind van de liftbaan markeren. Ze hoort Melle lachen.

'Handige zet!' roept hij. 'Wacht, ik kom je helpen!'

'Liever niet,' roept Merel terug.

Voorzichtig, om niet te worden geraakt door de ankers die over haar hoofd vliegen, schuifelt ze bij de stokken vandaan. Een vriendelijke skiër komt naar haar toe en vraagt iets – of ze zich bezeerd heeft, waarschijnlijk. Hij kijkt bezorgd. Merel schudt haar hoofd, ook al doet haar knie gemeen pijn.

Melle glijdt wankel naar haar toe.

'Wat deed jij nou?' vroeg hij.

'Er was een man,' zegt Merel. 'Er stond een man achter het huisje van de liften.'

'Nou en? Er zijn hier wel meer mensen op vakantie, hoor!'

'Hij was niet aan het skiën,' zegt Merel. 'Hij had gewone kleren aan en zo'n Russische muts op.'

'Ook niet gek,' zegt Melle. 'Rusland is vlakbij.'

Merel kijkt uit over de heuvels. Die hoge verderop ligt al in Rusland, weet ze. En daarachter ligt Moermansk.

Natuurlijk zijn er Russen in dit gebied. Maar half verstopt achter een lifthuisje, bij een skipiste? Het zit haar toch niet lekker...

'Ik heb in elk geval niemand gezien,' zegt Melle. 'En ik ga deze afdaling van je winnen.'

Hij stept een paar keer om vaart te maken en suist ervandoor. Hij houdt zijn lijf in een vreemde hoek, het lijkt net of hij zit te poepen. Maar toch ziet het er al beter uit, dat moet Merel knarsetandend toegeven.

Snel zet ze zich af met haar stokken en skiet haar broertje achterna. Ze wil absoluut vóór hem bij de lift komen. Dat is een wedstrijd die al dagen gaande is, zonder dat ze erover praten. En tot nu toe heeft Merel altijd gewonnen.

Maar dit keer gaat het anders. Melle blijft overeind en bereikt de lift nog voordat Merel aan het laatste stuk van de afdaling begonnen is. De jongen bij de skilift kijkt verbaasd op van zijn krant.

'Het komt door mijn knie,' hijgt Merel. 'Ik ben geblesseerd.'

'Je bent gewoon niet snel genoeg,' zegt Melle.

Hij hangt alweer in de sleeplift en wuift vrolijk naar haar.

Merel besluit een korte pauze te nemen. Ze klikt haar ski's los en zet ze in het rek naast de lift. Bij het vuurtje onderaan de piste ploft ze neer op een houten bank. De rendierhuid die eroverheen ligt, is zacht en warm aan haar billen, dat voelt ze door alle kleding heen.

Merel stroopt haar skibroek op en voelt aan haar knie. Die is dik, hij zal wel blauw zijn maar dat kan ze niet zien zonder haar poolondergoed uit te trekken. En dat gaat een beetje ver, onderaan een skihelling.

Het is genoeg voor vandaag, denkt Merel. Nog één keer naar boven en dan rustig afdalen aan de andere kant van de heuvel, waar hun vakantiehuisje staat. Vanavond lekker naar de sauna en morgen, als die knie minder dik is, weer skiën. Ze trekt haar broekspijp omlaag en gooit een blok op het vuur. Blauwe rook kringelt omhoog naar de hemel. Merel leunt achterover en kijkt om zich heen.

Loopt daar iemand, tussen de rotsblokken aan de andere kant van de skilift? Ze kan het niet goed zien, maar het lijkt er wel op. Er beweegt iets over de sneeuw, onder de dennen. Is het de man met het donkere jack en de zwarte bontmuts? De jongen van de skilift heeft het ook gezien. Hij legt zijn krant neer en loopt naar de rand van de piste. Daar verdwijnt hij uit het zicht.

Het is maar goed dat het zo rustig is hier, denkt Merel. Er komen geen skiërs naar beneden, de jongen kan gewoon even van zijn post. Ze is opgelucht dat hij op onderzoek uitgaat. Ze heeft zich dus niets ingebeeld en het is echt vreemd, een wandelaar op een skihelling. Maar de jongen blijft wel lang weg.

Daar komt Melle aan. Hij slalomt rustig naar beneden; het ziet er echt steeds beter uit. Als je het een beetje kunt, is snowboarden best mooi om te zien. En misschien ook wel leuk om te doen...

'Wat zit je daar nou?' roept Melle. 'Geef je het op?'

'Die man was er weer,' zegt Merel.

De jongen van de lift komt terug. Hij lacht breed naar Merel en Melle en heft zijn armen om aan te geven dat hij niemand gevonden heeft.

'*Russian*,' roept hij. '*Illegal Russian.*'

Hij haalt zijn vinger langs zijn hals alsof hij iemand de keel doorsnijdt. Merel huivert.

'Kom,' zegt ze. 'Ik wil terug naar het huisje.'

'Ja,' zegt Melle. 'Ik ga mee.'

Merel kijkt haar broertje aan. Verbeeldt ze het zich maar, of is hij ook geschrokken? Dat rare gebaar van die vriendelijke jongen... *Illegal Russian*, Merel begrijpt niet precies wat het betekent, maar het klinkt eenzaam.

Hier zijn we voor gekomen

'De mensen in Rusland hebben het minder goed dan de Finnen hier,' zegt papa. 'Aan de andere kant van de grens is bijna geen werk, en dus geen geld. Heel wat Russen proberen Finland in te komen, in de hoop dat ze hier wat kunnen verdienen. Dat mag niet van de wet; het is illegaal. Maar ja, wat moeten ze anders...'

'Dus die man van vanmiddag is gewoon iemand die hier een baantje zoekt?' vraagt Merel.

'Dat denk ik,' zegt papa.

Merel neemt een slok van haar cola. Ze is blij dat de man met de muts geen boef is. Dat had ze eerst wel gedacht, omdat hij zich steeds verstopte. Maar nu begrijpt ze dat je geen boef hoeft te zijn om je schuil te moeten houden. Je kunt ook gewoon een pechvogel zijn.

'Maar vertel eens,' zegt papa, 'we zijn hier nu bijna een week. Wat vinden jullie het leukst van Finland?'

'Snowboarden!' roept Melle.

'De natuur,' zegt Merel.

'Ik ook de natuur,' zegt mama. 'En de stilte vooral. Gisteravond laat ben ik nog even naar buiten gelopen en ik dacht de hele tijd: Wat hoor ik toch? En opeens wist ik het: ik hoorde niets. Het was lang geleden dat ik dat gehoord heb, helemaal niets. Het was prachtig.'

'Persoonlijk,' zegt papa, 'geniet ik nog het meest van rendiervlees. En kijk eens aan, daar is de serveerster al.'

Papa bestelt vier rendierpizza's. En meteen nog maar wat cola en bier ook. Buiten het restaurant begint het te schemeren. De lucht is bijna paars. Op de skipiste floepen de lampen aan. Er zijn maar een paar mensen aan het skiën.

'Ja, het is hier lekker leeg,' zegt papa. 'Als je die bossen zo ziet... Ik denk dat je daar uren kunt ronddwalen zonder dat je iemand tegenkomt.'

'Nou, dat gaan we morgen dan beleven,' zegt mama. 'Het is toch morgen?'

'Wat is morgen?' vraagt Merel.

'De honden,' zegt mama. 'Morgen gaan we een dagje op pad met de hondenslee. Dwars door de bossen.'

'Moet dat?' zegt Melle. 'Ik ga veel liever door met snowboarden.'

'Hij heeft nog heel veel oefening nodig,' zegt Merel en ze lacht lief naar haar broer. Meteen krijgt ze er een stomp tegen haar schouder voor terug.

'Rustig,' zegt papa. 'Snowboarden kan altijd nog. Een tocht met de honden is heel bijzonder. Dat stond in de reisfolder, dus dan is het zo.'

'Honden stinken,' moppert Melle nog.

Merel is wel blij. Ze houdt van honden en sleeën lijkt haar leuk.

'Is het moeilijk?' vraagt ze.

'Ik heb geen idee,' zegt papa. 'We merken het morgen wel.'

De serveerster brengt de pizza's, dampend en bruin met dunne reepjes rendiervlees erop. Het smaakt kruidig, een beetje zoet, en het is zo lekker dat ze zwijgend eten.

Na een ijsje stappen ze het restaurant weer uit, langs de verlichte piste naar hun vakantiehuisje. Merel voelt haar knie nog steeds, maar de pijn is al veel minder erg.

Onderaan de skihelling staan twee politieagenten. Ze praten met de jongen van de skilift, ziet Merel. Hij wijst naar de helling achter hem. Zou het over die illegale Rus gaan? Zou die nu nog rondzwerven tussen de rotsblokken? En waar slaapt hij dan vannacht, in de ijzige vrieskou?

Merel krijgt medelijden met de man van de zwarte muts. Ze hoopt dat hij een warm plekje heeft gevonden.

Op de parkeerplaats bij het vakantiepark staat een politieauto. Op de achterbank liggen twee grote geweren. Merel schrikt ervan.

'Ho,' zegt papa opeens. 'Kijk eens naar boven?'

Tussen de bomen door is een groot stuk hemel te zien. Er staan honderden sterren te stralen die veel groter lijken dan de sterren thuis in Nederland. Maar tussen de sterren is een ander licht te zien, een soort verlichte wolk of dunne rook die zich rekt en strekt, in zichzelf verstrikt raakt en dan weer als ijle vlammen wegschiet over hun hoofden. De wolk, of wat het ook is, is lichtgroen en soms geel en een beetje oranje. Merel heeft nog nooit zoiets gezien.

'Noorderlicht,' fluistert mama.

'Wat is noorderlicht?' vraagt Merel.

'Stof uit de ruimte dat wordt aangetrokken door de noordpool. Als het dicht bij de aarde komt, gaat het branden en dat zie je nu.'

'De hemel staat in brand,' zegt Merel. 'Kan dat geen kwaad?'

'Helemaal niet,' zegt mama. 'Het is normaal, maar je kunt het niet elke avond zien. Dus geniet ervan, zou ik zeggen.'

Dat doet Merel ook. Het is een soort lichtshow uit de ruimte, geen moment hetzelfde en steeds in beweging.

'Hier zijn we voor gekomen,' zegt papa met een zucht.

'En voor rendiervlees,' zegt mama lachend.

'Dit en rendiervlees, ja.'

'En snowboarden,' zegt Melle.

'En de honden,' zegt Merel.

'Dit en rendiervlees en snowboarden en de honden,' zegt papa.

'En de stilte en de natuur,' zegt mama.

Papa zucht.

'Veel hè,' zegt Merel. 'Dat is veel, voor zo'n leeg land.'

Nog even staan ze stil op het pad en kijken naar het noorderlicht, tot het langzaam minder lijkt te worden. Merel begint het koud te krijgen.

'En nu ga ik de sauna aanzetten,' zegt papa.

'Ook zoiets waar we voor gekomen zijn,' zegt mama.

Onverstaanbare paniek

De boerderij met de hondensleden is aan de andere kant van het stadje en ze gaan er met de bus naar toe.

'Ik begrijp niet dat ze zo hard kunnen rijden,' zegt mama. 'Moet je die weg zien: een en al ijs!'

Het is waar, de autoweg ziet eruit als een skipiste. En de bus stuift eroverheen alsof het gewoon asfalt is.

'Ze hebben spijkertjes in de banden,' zegt papa.

'Hoe kan dat nou!' roept Merel. 'Dan gaan ze toch lek?'

Papa lacht.

'Nee, andersom,' zegt hij. 'De puntjes steken naar búíten. Zo houden de wielen grip op het ijs.'

'Net als bij speedway,' zegt Melle.

'Precies,' zegt papa.

'Ik ben misschien dom,' zegt mama, 'maar wat is speedway?'

Merel is blij dat mama het vraagt. Meestal weet zijzelf de dingen niet en dan lacht Melle haar altijd uit.

'Racen met motoren op een ijsbaan,' zegt papa. 'Daar zijn ze dol op, hier in Finland.'

'Ze zullen wel moeten,' zegt Merel. 'Ze hebben niks anders.'

Het is maar een korte rit. De bus zet hen af bij een mooie witte kerk in het centrum van het stadje.

'Zijn de honden hier?' vraagt Merel.

'Nee, dat is een stukje verder,' zegt mama. 'We zijn een uurtje vroeger gegaan, dan kunnen we winkelen.'

'O, leuk!' roept Melle met een zuur gezicht. 'Eerst winkelen en dan met een hondenslee. Wat een absolute topdag!'

Merel heeft ook geen zin in winkelen. Het stadje is maar klein, eigenlijk niet meer dan twee straten. En leuke winkels zijn er zo te zien niet.

'Kijk daar nou!' roept Melle.

Hij wijst naar de overkant van de straat. Daar loopt een oude vrouw met een rollator. Merel begrijpt niet wat daar zo bijzonder aan is.

'Aan de onderkant,' zegt Melle. 'Kijk dan!'

En dan ziet Merel het ook. De rollator heeft geen wieltjes, aan de onderkant zitten twee korte skietjes gemonteerd.

'Een skilator!' roept Melle. 'Misschien doet ze zaterdag ook wel mee met de wedstrijd.'

'Handig,' zegt papa.

'En daar gaat de Kerstman!' roept Merel.

Vanachter een winkel is een oude man tevoorschijn gekomen. Hij heeft appelwangetjes en een volle, witte baard. Maar het mooiste aan hem is zijn blinkende, knalrode fiets.

'Hij heeft gewone kleren aan,' zegt Melle teleurgesteld.

'Nou ja, Kerstmis is ook allang voorbij,' zegt papa. 'Dit is zijn vrijetijdskleding.'

Mama heeft een winkeltje met souvenirs gevonden. Ze steken de straat over en stappen naar binnen.

'Zullen we voor opa zo'n pen van rendiergewei meenemen?' vraagt mama.

'Nee,' zegt Melle. 'Koop maar zo'n Russische muts. Hij heeft het toch altijd zo koud?'

Merel kijkt naar de stapel zwarte mutsen. *Real moleskin*, staat erop.

'Echt mollenbont,' vertaalt papa.

'Vreselijk duur,' zegt mama.

Merel denkt aan de man op de piste. De man met de zwarte bontmuts. Mollenmuts. Waar zou hij nu zijn? Terug naar Rusland misschien, of toch nog hier in de buurt? Ze hoopt dat hij ergens geld kan verdienen. Die mutsen zijn tenslotte duur.

Mama koopt toch de pen. Merel en Melle krijgen ieder een T-shirt met de dieren van Finland erop: een rendier, een eland, een poolvos, een sneeuwuil, een beer... Een beer?

'Tja, die zitten hier ook,' zegt papa. 'Maar ze houden nu hun winterslaap.'

'Zo lang?' vraagt mama. 'Het is al maart!'

'Nou ja, misschien zijn ze net wakker. Maar je komt ze niet tegen hoor. Beren zijn enorm schuwe beesten.'

'Wat vind je hiervan?' vraagt mama.

Ze houdt een vrolijk, blauw met rood gekleurd pakje omhoog. Het is een kostuum zoals het volk van het noorden dat nog wel draagt.

'Een Lappenkostuum!' zegt Merel.

'Je moet geen Lappen zeggen,' zegt papa streng. 'Lappen is een scheldwoord. Die mensen heten Samen. Het is een Samenkostuum.'

'Ik vind het gewoon lappen,' zegt Melle. 'Het pakje, bedoel ik.'

Er hoort ook een grappige muts met een soort slierten bij. Merel past de kleren, gewoon, voor de lol.

'Het staat je leuk,' zegt mama.

Ze aarzelt. Het pakje is duur, dat ziet Merel op het prijskaartje. Nog duurder dan een muts van mollenbont.

'Wat vind jij?' vraagt mama aan papa.

'Het is apart,' zegt hij aarzelend.

'Nee hè!' roept Melle. 'We gaan het toch niet kopen hè? Ik wil niet de hele vakantie met een hofnar in één kamer slapen!'

'Als ik slaap, doe ik het uit,' zegt Merel. 'Ik hou alleen die muts over mijn oren, dan hoef ik jouw gesnurk en je scheten niet te horen.'

'Zo is het wel weer mooi geweest,' zegt papa.

'We doen het,' zegt mama. 'We zijn maar één keer in Lapland.'

'Samenland,' zegt papa.

Mama rekent alles af. Merel houdt het pak meteen aan, het is lekker warm en zo lijkt het net alsof ze hier woont. Hoewel ze er nog bijna niemand in heeft zien lopen.

Eenmaal buiten wil papa naar de bank.

'Centen kopen.'

Daar begrijpt Merel niets van. Waarom moet je centen kópen?

'Omdat ze hier niet gebruikt worden,' zegt papa. 'Toen Finland overging op de euro, hebben ze wel munten van één en twee cent geslagen. Maar ze hebben ze meteen afgeschaft. Veel te onhandig. Hadden we in Nederland ook moeten doen. Maar goed, die muntjes zijn nu dus heel zeldzaam. Bijna niemand heeft ze. En daarom ga ik ze kopen. Gewoon, leuk.'

Hij steekt de straat weer over. Merel kijkt hem na en dan schrikt ze. In het steegje naast de bank, verscholen achter twee vuilnisbakken, staat de man met de mollenmuts. Ze herkent hem duidelijk. Hij draagt dezelfde spijkerbroek en het donkere jasje.

Merel stoot Melle aan.

'Kijk,' fluistert ze. 'De man van de skipiste. Daar, naast de bank.'

Maar het is of de man haar gehoord heeft. Hij verdwijnt achter de bakken.

'Ik zie niks,' bromt Melle.

Merel vertrouwt het niet. Wat doet die man bij de bank? Waarom verstopt hij zich nog steeds? Ze schudt de gedachten van zich af. Misschien heeft hij gewoon een baantje bij de reiniging gekregen. Misschien is hij aan het werk.

Maar hij laat zich niet meer zien en papa komt alweer terug.

'Afzetters!' moppert hij. 'Weet je wat ze vragen voor die muntjes? Tien euro! Tien euro, en dan krijg je drie cent in een plastic zakje!'

'Dus dat heb je niet gedaan,' zegt mama.

Papa krijgt een kleur.

'Jawel,' zegt hij. 'Die kans krijg ik nooit meer...'

Melle schatert het uit.

'Tien euro voor drie cent!' roept hij. 'Geweldig! Maar je krijgt nog kansen genoeg hoor, pap. Zo wil ik elke dag wel met je ruilen!'

'Grappig,' zegt papa boos.

'Nou,' zegt Merel. 'Gaan we nou nog naar de honden of hoe zit dat?'

'Ja, op naar de slee,' zegt Melle. 'Ik denk dat ik de mijne Carry ga noemen.'

Ze hebben nog maar een paar honderd meter gelopen als er tumult losbarst in het stille stadje. Twee politieauto's scheuren door de hoofdstraat en van overal komen mensen aanlopen.

Er rent een man langs die iets roept in het Fins.

'Ja, daar hebben we wat aan,' zegt papa. 'Dat verstaat geen mens.'

'Ik weet het!' roept Melle opeens. 'De kerstman en de ski-lator zijn tegen elkaar aan geklapt!'

Papa lacht.

'Wie verzint er nou zulke dingen,' zegt hij. 'Vreselijk. Laten we hopen dat het niet waar is.'

'We lopen door,' zegt mama. 'De politie is er bij en dan

kunnen wij toch niks meer doen. Ik hou niet zo van ramp-toerisme.'

Merel zwijgt. Ze kijkt de andere kant op, naar de bosrand. Daar stuift een felrode sneeuwscooter door de hoge sneeuw. En op die sneeuwscooter zit een donkere figuur met een zwarte muts op zijn hoofd. Ver achter hem volgen nog twee sneeuwscooters, lichtblauwe. Die zitten blijkbaar achter hem aan en dat merkt de man op de rode sneeuw-scooter nu ook.

Met een scherpe bocht en in een wolk van poedersneeuw verdwijnt hij tussen de bomen.

Upi en de honden

Een hondenslee is eigenlijk een heel simpel ding, ziet Merel. Het is niet meer dan een houten bak op glij-ijzers die van achteren een stukje uitsteken. Daar moet de bestuurder op gaan staan, één voet op elk ijzer, en zich vasthouden aan een houten stok bovenaan de bak. Het is een soort bakfiets zonder wielen. Tussen de glij-ijzers zit nog een houten pedaal waarmee je kunt remmen, en dat is alles.

Een vriendelijk lachende man in vrolijke kleren, bijna zo vrolijk als Merels nieuwe pakje, geeft uitleg. Hij heet Upi en hij spreekt alleen Engels, maar het is zo makkelijk dat papa niets hoeft te vertalen. Merel begrijpt alles meteen.

Ze mag even op de ijzers staan en voelt dat die wiebelen als ze haar gewicht verplaatst. Het is eigenlijk net als skiën, en dan kun je je nog vasthouden ook.

Melle vindt het niks.

'Dat kan nooit snel gaan,' zegt hij.

'Wacht nou maar af,' zegt mama.

Upi vertelt dat je de honden moet helpen als ze heuvelop gaan, en dat je moet remmen als je naar beneden gaat. Anders haalt de slee de honden in en dan komen ze onder de glij-ijzers terecht.

'Dat bedoel ik,' bromt Melle. 'Zo krijg je dus nooit vaart.'

Maar als ze bij de honden komen, wordt hij ook enthou-

26

siast. Er zijn er zoveel! Ze liggen aan lange lijnen in de sneeuw te rusten maar zo gauw ze Upi zien, komen ze overeind en beginnen te blaffen. Ze zien er mooi uit met hun dikke, zwartgrijze vachten. Aan het schorre geblaf en de driftig kwispelende staarten kun je zien dat ze zin in een tochtje hebben. Ze dringen om Upi heen alsof ze willen roepen: Kies mij, neem mij mee!

'Ze hebben wolvenogen,' zegt papa. 'Ze kijken vuil.'

'Helemaal niet!' roept Merel boos. 'Ze zijn hartstikke lief!'

Upi kiest twaalf honden uit, zes per slee. Tot haar teleurstelling mag Merel niet zelf een slee besturen. Ze moet met Melle in de bak gaan zitten en Upi klimt op de glij-ijzers. Mama zit in de andere slee, met papa achterop.

'*Hold on!*' roept Upi.

Dat betekent: hou je vast, en het is maar goed dat hij dat zegt. Want zo gauw de honden het signaal krijgen, beginnen ze te rennen. Het blaffen is meteen voorbij, Merel hoort alleen de ijzers over de sneeuw glijden – en ze hoort mama, die kleine kreetjes slaakt.

Upi wijst naar de twee honden vooraan.

'Roosa *and* Patte,' zegt hij.

In het midden loopt een vrolijke hond die steeds sprongetjes maakt en speels naar de anderen hapt.

'Wagner,' zegt Upi. '*Very young dog.*'

Dat had Merel ook wel gezien, dat Wagner nog heel jong is. Ze vindt hem meteen de liefste van het span.

Bij de eerste bocht gaat het al mis met papa. Hij leunt de verkeerde kant op en als de slee over een hobbeltje glijdt, schiet zijn linkervoet van het ijzer. Nog even kan hij mee

hinkelen, maar dan moet hij loslaten en belandt op zijn rug in een berg sneeuw.

'Wat doe je nou?' gilt mama bang.

Upi zet zijn eigen slee stil.

'*Seís, seís!*' roept hij.

De honden gehoorzamen en houden in. Dus seís betekent stop, denkt Merel. Het derde Finse woord dat ik ken. Handig.

Upi helpt papa overeind.

'*Okay?*' vraagt hij.

Papa knikt. Hij ziet er geschrokken uit, maar hij moet ook alweer lachen. Er kleeft een boel sneeuw aan de kont van zijn broek.

'Alle begin is moeilijk,' zegt hij.

En dan gaan ze verder, dieper het woud in. Papa maakt geen domme fouten meer. Hij heeft het zwaar, dat wel. Bij elke heuvel moet hij meesteppen of zelfs achter de slee rennen om de honden te helpen. En in een afdaling moet hij goed opletten dat de slee de honden niet inhaalt. Maar het lukt allemaal.

Bij een scherpe bocht in het pad staat een verlaten sneeuwscooter. Een knalrode sneeuwscooter. Upi houdt even in om het ding te inspecteren.

'*Out of gas,*' is zijn conclusie.

Hij kijkt om zich heen, maar er is niemand in de buurt.

'Tja, dat heb je met die dingen,' zegt papa. 'Als de benzine op is, zijn ze waardeloos. Geef mij de honden maar.'

'Ja,' zegt Melle met een dichtgeknepen neus, 'de honden zitten altijd vol met gas...'

En dan gaat de tocht weer verder, over smalle paadjes

door het stille bos. Na een uurtje stoppen ze om koffie te drinken. Die koffie maakt Upi zelf, in een pikzwart keteltje boven een houtvuur in de sneeuw. Voor Merel en Melle is er ijskoude cola. Papa zit met zijn rug tegen een boom nog uit te hijgen.

'Het is best leuk,' zegt Melle. 'Jammer dat het niet zo snel gaat. En jammer dat die honden van die vieze scheten laten.'

'Moet je horen wie het zegt,' roept Merel. 'Jij gisteravond, op onze slaapkamer...'

'Hou op,' zegt mama. 'We drinken koffie!'

Papa pakt zijn mobieltje uit zijn binnenzak.

'Even opa bellen,' zegt hij. 'Vertellen waar we zijn en wat we doen. Dat vindt hij leuk.'

Maar Upi begint te lachen.

'*No good here*,' zegt hij.

Papa drukt op een paar knoppen en staart naar zijn toestel.

'Hij heeft gelijk,' zegt hij teleurgesteld. 'Ik heb helemaal geen bereik.'

'Mooi zo,' zegt mama. 'Je koffie wordt koud.'

Upi haalt zijn mes tevoorschijn en snijdt uit een stuk brandhout een speelgoedje voor Merel en Melle. Het is een stokje met ribbels aan de bovenkant, als een soort houten zaag, en aan het eind een plat houtje in de vorm van een propeller. Als je met een ander stuk hout snel over de ribbeltjes gaat, begint de propeller te draaien.

'*Souvenir*,' zegt hij met een lach en hij krast zijn naam erin.

Als iedereen gedronken heeft, ruimt Upi de rommel op

en vraagt of mama nu ook een keer wil sturen. Daar heeft mama helemaal geen zin in.

'Laat mij maar onder mijn dekentje zitten,' zegt ze.

De honden begrijpen dat de reis weer verder gaat en blaffen hun kelen schor. Deze keer gaat papa bij Merel en Melle achterop. Upi neemt de voorste slee, met mama erin. Binnen de kortste keren zoeven ze weer over de sneeuw, tussen de hoge zwarte dennen door.

Na een halfuurtje klinkt opeens het geluid van sneeuwscooters. Merel schrikt ervan, zo hard weergalmt het geknetter door het doodstille bos. Het blijken twee politiemannen te zijn. Merel herkent de lichtblauwe sneeuwscooters die ze al eerder aan de bosrand heeft gezien.

Upi stopt de slee en praat kort met hen. Dan tikken de agenten aan hun pet en scheuren weer weg. De stilte keert terug.

'Ze zoeken naar de illegale Rus,' zegt Merel.

'Ik weet het niet, schat,' zegt papa. 'Misschien maken ze gewoon een leuk tochtje door het bos.'

Daar gelooft Merel niet zo in. Ze speurt tussen de bomen naar een glimp van de mollenmuts, maar er beweegt helemaal niets. Als de agenten hem vinden, is het zijn eigen schuld, denkt Merel. Had hij maar niet de hele tijd zo verdacht moeten doen.

Opeens zijn de bomen verdwenen en de slee glijdt over een enorme witte vlakte.

'Een bevroren meer!' roept papa. 'Finland, land van de duizend meren!'

'Zoveel?' vraagt Melle.

'Nou ja, zo wordt Finland genoemd. Het zijn er natuurlijk niet precies duizend.'

'Hoeveel dan?' vraagt Merel.

'Raad maar.'

'Achthonderd,' zegt Melle.

'Negenhonderd,' roept Merel.

'Bijna goed,' zegt papa lachend. 'Het zijn er meer dan zestigduizend. Echt waar.'

Dat is natuurlijk leuk om te weten, maar papa kan zijn aandacht beter bij de honden houden. Upi is daar heel wat handiger in; hij ligt al een heel eind voor.

'Ik hoop dat die beesten de weg kennen,' zegt papa. 'Straks ben ik Upi en mama nog kwijt...'

Midden op het meer maakt het sledespoor een bocht naar links, terug naar de bosrand.

'Kalm aan, Upi,' mompelt papa, 'wacht op ons!'

Maar de voorste slee is al tussen de bomen verdwenen als papa nog maar net de bocht genomen heeft. Patte kijkt eens achterom. Het lijkt of hij wil zeggen: Wat ben jij voor een slappe bestuurder? En hij maakt geen aanstalten om harder te gaan lopen. Wagner wordt moe, hij heeft geen zin meer om te spelen.

'We vinden ze vanzelf,' zegt papa. 'We volgen gewoon het spoor.'

Aan de oever van het meer loopt de weg een stukje steil omhoog. Papa stapt van de ijzers en begint te duwen. De sneeuw is hier diep, papa zakt er tot aan zijn knieën in weg.

'Makkelijk is anders,' hijgt hij.

Ook de honden hebben het zwaar. Ze krommen hun ruggen en houden hun koppen laag bij de grond.

'Moeten we helpen?' vraagt Melle.

'Nee,' hijgt papa, 'het gaat wel...'

Dan is de beklimming voorbij en de slee heeft weer wat vaart. Papa probeert op de ijzers te stappen, maar hij krijgt zijn linkerbeen niet uit de sneeuw. Hij moet loslaten.

'Seís! Seís!' roept Merel.

De honden gehoorzamen onmiddellijk. Ze staan stil en kijken achterom.

'Goed van je,' zegt papa. 'Goed onthouden!'

Hij worstelt om vrij te komen, zwaaiend met zijn armen en wankelend als een circusclown op het slappe koord.

'Verdorie,' mompelt hij. 'Wat doen we hier nu weer aan?'

Merel wil net uitstappen om hem te helpen als er geritsel klinkt naast de slee. Merel draait zich om – en kijkt recht in het gezicht van een vreemde man.

De man met de mollenmuts.

Ontvoerd!

Alles gaat zo ontzettend snel dat Merel het niet eens helemaal door heeft. De man met de mollenmuts staat op de ijzers, de honden draven en papa is ergens achter haar, hulpeloos in de diepe sneeuw. Merel hoort hem nog roepen, zijn stem weerkaatst tussen de stammen tot hij zwakker wordt en verdwijnt.

Merel kijkt strak voor zich uit. Ze durft niet naar de man boven zich te kijken, ze durft zelfs niet haar hoofd naar Melle te wenden. Ze voelt dat hij net zo voor zich uit staart als zij.

Voor de honden is het ook menens, met afhangende staarten jakkeren ze door de sneeuw, heuvel op, heuvel af, zonder om te kijken. Een hondenslee kan heel snel gaan. Het hangt ervan af wie hem bestuurt.

'Waar gaan we heen?' fluistert Melle opeens.

'Sst!' sist de man.

Maar Merel begrijpt wat haar broer bedoelt. De hondenslee heeft een paar bochten naar rechts gemaakt en nu schemert het bevroren meer weer tussen de bomen. Ze gaan terug, ze gaan een andere kant op dan Upi en mama! En ze gaan zo snel dat de slee een stukje door de lucht zweeft als ze de oever van het meer afdalen.

Met een klap komt de slee op het ijs terecht. De honden

schrikken er niet van, ze jakkeren door alsof hun leven ervan afhangt. En misschien is dat ook wel zo, denkt Merel angstig.

Wat kan de man van plan zijn? Waarom heeft hij hen ont-voerd? Gaat hij terug naar Rusland? Gaat hij juist verder Finland in, gaat hij zo ver mogelijk bij de bewoonde wereld vandaan? Wie moet hen dan nog vinden in deze wildernis van ijs en sneeuw en zwarte boomstammen? Waar moeten ze schuilen voor de kou?

Al die tijd zegt de man niets. Na een tijdje durft Merel eindelijk naar boven te kijken. De man kijkt niet terug, hij houdt zijn ogen strak op de honden gericht. Het is dus toch een boef, denkt Merel, een kinderontvoerder. Maar hij ziet er niet heel onvriendelijk uit, ook al heeft hij een verbeten trek om zijn mond.

Pas als ze het meer hebben overgestoken en tussen de bomen op de andere oever zijn beland, houdt de man de slee in. De honden kijken dankbaar om, je kunt aan alles merken dat ze bekaf zijn. Zonder te blaffen laten ze zich in de sneeuw vallen.

De man rommelt wat achter de slee en stapt dan van de ijzers. Ook hier is de sneeuw diep, maar hij beweegt zich opvallend soepel. Aan de voorkant van de slee blijft hij staan en bekijkt Merel en Melle van top tot teen.

'*Okay*,' zegt hij langzaam. '*Sergei*.'

Hij wijst op zichzelf. Zo heet hij dus, denkt Merel. Sergei. Ze vindt het prettig dat hij nu een naam heeft. Dat maakt hem meer een mens, niet alleen maar een boef met een mollenmuts.

Sergei wijst nu naar haar en haar broertje. Hij heft vragend zijn handen op.

'Dit is Melle,' zegt Merel. 'Ik ben Merel.'

'Melle,' zegt Sergei. 'Merel. *Good*.'

Hij wijst voor zich uit, verder het bos in.

'*Russia*,' zegt hij. '*Free*.'

'Rusland vrij,' zegt Melle. 'Wat bedoelt hij daarmee?'

'Misschien dat hij ons in Rusland vrijlaat,' zegt Merel.

'Of dat hij daar zelf vrij is,' zegt Melle. 'Hij is toch een Rus?'

Vanuit de verte klinkt vaag het geronk van sneeuwscooters. Sergei reageert onmiddellijk. Hij kijkt Merel en Melle streng aan en legt een vinger op zijn lippen. Dan sluipt hij door de diepe sneeuw naar de bosrand en tuurt onder de takken door naar het meer.

Merel draait zich om op de slee. Ze ziet de twee agenten op de sneeuwscooters die ze al eerder hebben ontmoet. Hoe lang geleden? Een uurtje nog maar? Het lijkt wel een halve dag.

Heel even hoopt ze dat de agenten het spoor zullen zien, maar ze stuiven rechtdoor, helemaal de verkeerde kant op. Binnen een minuut zijn ze uit het zicht en vlak daarna is ook het geknetter niet meer te horen.

Sergei komt terug. Hij grijnst breed.

'*Stupid*,' zegt hij, en hij wijst naar de vlakte.

Merel begrijpt dat hij de politie maar een stel idioten vindt.

Vanuit een binnenzak van zijn jasje haalt Sergei een reep chocolade tevoorschijn die hij in tweeën breekt. Merel en Melle krijgen ieder een helft.

'Daar zit natuurlijk gif in,' zegt Melle.

Maar dat gelooft Merel niet.

'Hij zat helemaal ingepakt,' zegt ze. 'En deze man is vast geen moordenaar.'

Ze neemt een hap. De chocola is lekker, zoals alle chocola in Finland. Ze wordt er warm van. Melle aarzelt nog even, maar dan eet hij ook. Hij smakt zelfs.

'*We go*,' zegt Sergei.

Hij stapt weer achterop de slee en spoort de honden aan. Het gaat minder snel nu, voorzichtiger. Het bos is hier ook dichter begroeid en het spoor is smal en soms bijna niet te zien. Hier komen niet vaak mensen, denkt Merel. En zeker geen toeristen.

'Denk je dat we naar Rusland gaan?' vraagt ze aan Melle.

Ze kijkt even omhoog, maar Sergei zegt niet dat ze hun mond moeten houden. Blijkbaar is hij in dit stille gebied meer op zijn gemak.

'Ik denk het,' zegt Melle.

'En papa...' begint Merel.

'Die komt achter ons aan,' zegt Melle. 'Natuurlijk joh, Upi is gaan kijken waar we bleven en die heeft hem gevonden. En nu zitten ze met z'n allen achter ons aan. En de politie ook, met helikopters en alles.'

'Die twee agenten reden anders gewoon door...'

'Dat was nog te vroeg,' zegt Melle. 'Die wisten het nog niet. Ze zijn ondertussen wel omgekeerd. We zijn zo weer vrij...'

Merel denkt na. Ze hoopt dat haar broer gelijk heeft. Maar zou het echt zo gemakkelijk gaan? In dit enorme land, zonder telefoons op elke straathoek, zonder bereik van je mobieltje? Misschien duurt het wel uren voor er iemand naar hen gaat zoeken.

Merel voelt dat ze bijna moet huilen, maar ze bijt op haar onderlip en houdt de tranen tegen. Huilen helpt niks en je krijgt er koude wangen van als het vriest.

Nog steeds laat Sergei de honden draven. Hij slalomt behendig tussen de bomen door. Merel vraagt zich af hoe hij de weg kan vinden in deze stille, witte wereld. Elke plek lijkt op de vorige en Merel heeft geen idee waar ze is, hoe ver ze van papa is of waar ze naar toe gaan. Rusland waarschijnlijk. Rusland...

En het ergste is: het blijft stil. Hoe Merel zich ook inspant, er is niets anders te horen dan het geluid van de ijzers over de sneeuw en het gehijg van de honden. Geen helikopters, geen sneeuwscooters, niks... Als Merel even achterover leunt en een klein stukje hemel ziet tussen de boomtoppen, merkt ze tot haar schrik dat die donkerder wordt.

'Straks is het nacht,' zegt ze.

Melle knikt zwijgend.

'Dertig graden onder nul,' zegt Merel weer.

'Weet ik toch,' sist Melle.

Het is of Sergei hen verstaan heeft. Hij laat de honden stoppen en loopt naar de voorkant van de slee. Uit een houten kist haalt hij een stuk touw tevoorschijn waarmee hij de slee aan een boom bindt. Dan pakt hij twee scheppen en geeft er eentje aan Melle.

'*Dig*,' zegt Sergei.

Hij laat meteen zien wat de bedoeling is: tussen twee bomen langs de kant van het sledespoor begint hij een diep gat te graven. Melle doet zo goed als hij kan mee. De sneeuw is droog en poederig, dus het graven gaat snel. Merel doet ook een stukje.

Als het gat diep genoeg is, haalt Sergei de rendiervellen uit de slee en legt ze op de bodem. De deken spant hij half over het gat, als een soort dak. Hij schept sneeuw op de randen om de deken op zijn plaats te houden.

Er ligt ook brandhout in de kist en Sergei maakt er een vuurtje mee, aan de zijkant van de kuil net vóór de rendiervellen. Hij gebaart dat Merel en Melle moeten gaan zitten.

Al gauw wordt het warm in de sneeuwhut en dunne, grijze rook kringelt omhoog naar de eerste sterren. Sergei smelt sneeuw in een ketel boven het vuur. Het water krijgen Merel en Melle te drinken uit houten bekers. Het smaakt een beetje naar koffie.

'*Now*,' zegt Sergei, alweer met die grijns. '*Sleep*.'

Ja, denkt Merel. Slapen. Ze voelt opeens dat ze verschrikkelijk moe is.

'Niet slapen,' zegt Melle, 'we moeten hem in de gaten houden.'

'Nee,' zegt Merel. 'Hij bouwt een hut en hij geeft ons water. Hij wil ons geen kwaad doen. Ik denk dat hij ons nodig heeft.'

Maar waarvoor dan, denkt ze nog, waar kan hij ons voor nodig hebben? Ze is veel te moe om erover na te denken. Bij het knappende vuur valt ze in een diepe slaap.

Geld en een pistool

Merel wordt wakker van de kou die langs haar rug trekt. Het duurt even voor ze weer weet waar ze is. Aan haar voeten smeulen de resten van het vuur en bleek ochtendlicht valt het sneeuwhol binnen.

'*Good morning*,' zegt Sergei.

Hij staat hoog boven haar, buiten het hol, en kijkt lachend naar beneden.

'Ja, goeiemorgen,' mompelt Merel.

Wat is dat toch met die man, denkt ze. Hij is een boef, een kinderontvoerder, maar ik kan niet bang voor hem zijn. Hij is... aardig. Ja, eigenlijk is hij gewoon aardig.

Melle slaapt nog, hij snurkt zelfs een beetje. Zachtjes komt Merel overeind. Als ze staat, kan ze boven de rand van het sneeuwhol uitkijken. Het is niet zulk mooi weer vandaag, ziet ze. De lucht is grijs en er valt heel fijne sneeuw naar beneden. En het is nog vroeg in de ochtend, het licht is zwak.

Merels schouders raken de deken, er valt wat poedersneeuw in haar nek. Ze rilt en klimt snel het hol uit. De honden blaffen zo gauw ze haar zien. Wagners staartje gaat wild heen en weer.

'Sst!' sist Sergei.

Hij trekt de deken van het hol en schudt die uit. Melle is

meteen klaarwakker. Mopperend veegt hij de sneeuw van zijn wangen. Sergei gebaart dat hij de huiden wil hebben, en de koffieketel. Daarna helpt hij Melle omhoog. Hij worstelt zich een eindje door de sneeuw en gaat staan plassen.

O ja, denkt Merel. Dat moet ik eigenlijk ook. Maar waar? Schichtig kijkt ze om zich heen. Sergei begrijpt het probleem.

'*I don't look,*' zegt hij grijnzend, en hij slaat zijn handen voor zijn ogen. Merel wurmt de blauwe broek en het poolondergoed van haar billen en plast. Veel is het niet, ze heeft ook heel weinig gedronken.

Als ze klaar is, loopt ze naar de honden en hurkt bij ze neer. Ze legt haar hand op de kop van Wagner.

'Luister eens, lieve Wagner,' fluistert ze. 'Melle en ik kennen dit land niet. Straks gaan we naar Rusland. Zul je ons helpen, als het fout gaat? Zul je de weg onthouden? Breng je ons terug naar papa en mama?'

De jonge hond piept zachtjes. Dan roept Sergei dat ze in de slee moeten gaan zitten. Merel schuift naast haar broer. De deken is nog koud van de sneeuw. Sergei stapt op de ijzers en spoort de honden aan. De tocht gaat verder, naar het oosten. Naar Rusland.

Al snel wordt het bos minder dicht. Af en toe ziet Merel een glimp van heuvels in de verte. Ze denkt zelfs dat ze de heuvel herkent waarop ze heeft geskied, twee dagen geleden nog maar. Het is moeilijk te zien tegen de grijze lucht, maar Merel meent toch het huisje van de lift te kunnen onderscheiden. Als ze gelijk heeft, zijn ze niet eens zo ver van het vakantiepark. Dat geeft haar weer een beetje moed. Alleen jammer dat haar lege maag zo rommelt.

Sergei wordt nu voorzichtiger. Hij kijkt voortdurend om zich heen. Soms lijkt het wel of hij iets zoekt.

'Hij is zenuwachtig,' fluistert Melle.

'Sst!' sist Sergei streng.

Melle knipoogt even. Zie je wel, wil hij daarmee zeggen.

Ze zijn nu aan de rand van het bos gekomen. Voor hen ligt een open vlakte met hier en daar wat kleine boompjes. In de verte loopt de autoweg en daarachter begint het heuvelland. Daar groeien opnieuw hoge dennen.

Voor iemand die niet gezien wil worden, is dit een gevaarlijk stuk. Je kunt kilometers ver kijken. Merel ziet de skihelling nu duidelijk, een stuk naar rechts. Maar het is nog vroeg, nergens valt een teken van leven te bespeuren.

Sergei houdt de honden in en stapt af. Heel even is hij achter de slee weer met iets bezig. Dat deed hij gisteren ook, maar Merel durft niet te kijken wat hij precies doet.

'*Stay here*,' fluistert Sergei dan.

Merel kijkt hem na terwijl hij tussen de bomen door de sneeuw ploetert. Wat een vreemde, grote voeten heeft hij... Maar hij zakt niet weg, hoewel het niet erg snel gaat. Hij loopt wel tien, vijftien meter bij de slee vandaan.

Ik zou op de ijzers kunnen springen, denkt Merel. Ik weet heus wel hoe dat moet. En Wagner weet de weg.

Melle lijkt hetzelfde te denken. Voorzichtig schuift hij de deken omlaag en zwaait zijn benen over de rand van de slee. Als Sergei twintig meter weg is, laat hij zich snel vallen – en zakt tot aan zijn middel in de sneeuw.

'Hé!' roept hij verschrikt.

De honden beginnen te blaffen. Merel ziet dat Sergei zich omdraait. Hij steekt zijn hand in zijn zwarte jasje en haalt iets te voorschijn. Een lang ding, zilverig glimmend...

'Hij heeft een pistool!' gilt Merel. 'Melle, kom terug!'

Dat wil Melle ook wel. Hij worstelt om uit de sneeuw te komen, maar hij is niet sterk genoeg. Merel moet hem helpen. Ze slaat haar armen om hem heen en trekt met al haar kracht. Ze durft niet naar Sergei te kijken.

Als Melle eindelijk weer hijgend naast haar zit, is Sergei terug. Hij legt een besneeuwde tas aan hun voeten. Het pistool is alweer opgeborgen.

'*Don't do that again*,' sist hij, en hij loopt naar de achterkant van de slee.

Natuurlijk doet Melle dat niet nog eens, denkt Merel. Tegen een pistool kan niemand op. Ze staart naar de tas. Wat zit daar in? Nog meer wapens? Voorzichtig tilt ze met haar voet de klep van de tas een stukje op. Ze ziet een heleboel stapeltjes papier. Wat is dat?

'Geld,' fluistert Melle. 'Een hele berg geld.'

Dus Sergei is toch een boef, denkt Merel. Een boef met een pistool en een heleboel geld dat hij begraven had in het bos. Een overvaller!

Nu begrijpt ze wat er gisteren in de stad gebeurd is. Sergei heeft de bank overvallen en is gevlucht op een sneeuwscooter. Toen de politie achter hem aan kwam, heeft hij de buit verstopt aan de rand van het bos.

Daarna is hij verder gevlucht, maar de benzine raakte op. Toen heeft hij gewacht op ander vervoer, en dat werd toevallig de hondenslee van Merel en Melle. Maar waarom heeft hij hen meegenomen? Hij had hen toch gewoon bij papa kunnen achterlaten?

Papa... Als dit geld uit de bank komt, zit er een tientje van papa bij!

De slee zet zich weer in beweging. Sergei spoort de honden aan om zo snel mogelijk te gaan. Hij wil niet te lang op de vlakte en de weg blijven. Maar nog steeds is er niemand anders te zien. De hele wereld slaapt.

Op de autoweg draait Sergei naar links. De sneeuw is hier platgereden en hard; de slee maakt er een krasserig geluid op. Na een paar honderd meter kiest Sergei een smal pad dat naar rechts voert, de heuvels in. Hij is precies op tijd; als ze nog maar net tussen de bomen zijn, dendert er achter hen een vrachtwagen voorbij.

Die moet ons hebben gezien, denkt Merel. Maar ja, zo'n chauffeur ziet vast wel vaker een hondenslee met kinderen erin. Dat is hier heel normaal.

De tocht lijkt uren te duren. Merel krijgt steeds meer honger. Na die halve reep van gisteren heeft ze niet meer gegeten. En die arme honden hebben helemaal niets gehad. Kunnen ze dat volhouden?

Merel denkt aan de gebakken eieren die haar vader zo goed kan maken. Ze denkt aan porropizza... Maar ze krijgt er alleen maar meer trek door en dus kan ze beter aan iets anders denken.

Waarom wordt er niet naar hen gezocht? Waar blijven die agenten, waar blijft de helikopter waar Melle het over had? Waar zijn papa en mama en Upi toch?

Dat zijn ook geen fijne gedachten en voor de tweede keer voelt Merel dat ze gaat huilen, en weer weet ze de tranen weg te slikken. Het kan nooit erg lang meer duren, Rusland moet al vlakbij zijn. Soms ziet ze tussen de bomen de hoge heuvel die ze ook zag toen ze bovenaan de piste stond, de heuvel die in Rusland ligt. Hij komt nu snel dichterbij.

Er staat een bord langs het pad, een bord met een heel verhaal in het Fins en twee vlaggen erop. En allemaal tekentjes die willen zeggen dat dit een verboden gebied is. Hier moet de grens al zijn. Merel is blij dat ze niet gehuild heeft. Ze stoot haar broertje aan.

'Rusland,' fluistert ze.

Melle knikt.

'Als hij veilig thuis is, laat hij ons wel gaan,' zegt hij.

Merel gaat wat rechter zitten. Ze vergeet de honger. Ze is blij. Blij voor haarzelf, en voor Melle, omdat dit rare avontuur bijna voorbij is. En ze is vreemd genoeg ook blij voor Sergei. Terwijl die toch een echte boef is. Maar een aardige boef.

Van links klinkt opeens een bekend geknetter. Sneeuw-scooters! Merel tuurt tussen de stammen. Sergei jaagt de honden op. Hij stuurt recht naar een grijze paal zo'n honderd meter verder.

Dát is de grens, de echte grens, denkt Merel. Dat is een grenspaal. Het bord was alleen maar een waarschuwing. Dus we zijn nog in Finland.

En dat klopt. Van tussen de bomen verschijnen twee sneeuwscooters. Er zitten mannen op met witte pakken aan en een witte helm op hun hoofd. Op hun bovenarm prijkt het lichtblauwe kruis van de Finse vlag en op hun rug hangen angstig grote geweren.

Het zijn Finse soldaten en precies voor de grenspaal houden ze stil.

Het Wilde Noorden

Sergei laat de honden stoppen. Met één sprong staat hij in de slee, tussen Merel en Melle in. Hij haalt het pistool te voorschijn. De soldaten grijpen naar hun geweren.

Sergei schreeuwt iets in een vreemde taal. Het klinkt niet als Fins, dus zal het wel Russisch zijn. De soldaten aarzelen en kijken elkaar aan.

Sergei grijpt Melle om zijn nek en gaat naast hem zitten. Met zijn hoofd gebaart hij naar Merel dat ze naar achteren moet gaan.

Wat, denkt Merel, moet ik de slee besturen? Met die twee soldaten in de buurt? Kan ik dat wel? Durf ik dat?

Met moeite klimt ze over de rand van de slee. Haar benen zijn eigenlijk te kort om op de ijzers te kunnen staan. Het gaat maar net en ze is blij dat ze vroeger op ballet gezeten heeft. De honden janken opgewonden, maar ze blijven op hun plaats.

Merel kijkt naar de soldaten. Eén van hen heeft een walkietalkie gepakt en praat daar nu zachtjes in. De ander blijft scherp naar de slee kijken. Zijn geweer hangt nog op zijn rug. En in de slee zit Sergei, op Merels plaats. Hij houdt Melle stevig vast, met het pistool op Melles hoofd gericht...

En nu begrijpt Merel echt alles. Ze begrijpt waarom Sergei hen heeft meegenomen. Hij wist dat dit zou gebeuren, dat hij niet zo gemakkelijk de grens zou kunnen oversteken. Hij heeft Melle en haar nodig als een soort schild, zodat de soldaten of de politie hem wel door moeten laten. Want niemand wil natuurlijk dat twee onschuldige kinderen iets overkomt.

'*Go, girl!*' roept Sergei. '*Now!*'

Merel haalt diep adem. Dan klakt ze met haar tong en geeft de slee een zetje met haar linkervoet. De honden blaffen en trekken de lijn strak.

Merel zet haar voet terug op het ijzer en houdt zich vast. Sneller en sneller gaat het, in de richting van de twee soldaten. Die doen niets, ziet Merel, ze kijken alleen. Misschien weten ze niet wat ze moeten doen.

Het is nog dertig meter naar de grens, nog twintig, nog tien. De soldaten schreeuwen iets, maar nog steeds blijven ze onbeweeglijk.

Merel stuurt de slee een klein stukje naar rechts door met twee voeten op het rechterijzer te gaan staan. Nu is het geen skiën maar snowboarden, denkt ze. Vlak langs de twee soldaten glijden ze de grens over.

'*Russia!*' gilt Sergei en hij begint te lachen.

Een vreemde opwinding slaat door Merels lijf. Het is net of Sergei en zij samen een team zijn, en dat ze het hebben gehaald. Als hij dat pistool nu maar wegdoet, dan kan ze hem weer aardig vinden. Want hij is nooit van plan geweest hen iets aan te doen, dat weet Merel zeker.

En alsof hij haar gedachten kan lezen, bergt Sergei het wapen op in zijn binnenzak. Hij laat Melle los.

'*Good work* Merel,' roept hij naar achteren.

Ze zijn alweer in een dicht bos beland. Merel durft niet

achterom te kijken, maar ze merkt aan de stilte dat de soldaten hen niet gevolgd zijn. Misschien mogen ze de grens niet zomaar oversteken. Misschien vinden de mensen in Rusland dat niet goed.

De bomen staan nu zo dicht bij elkaar dat Merel geen pad meer kan zien. De honden gaan steeds langzamer, tot ze uit zichzelf stilstaan. Sergei komt overeind. Hij steekt een hand uit naar Melle.

'*Sorry*,' zegt hij.

Zie je wel dat hij aardig is. Als je op de vlucht bent, moet je rare dingen doen. Maar Melle neemt de hand niet aan.

'*Okay*,' zegt hij alleen.

Merel hoort aan zijn stem dat hij toch bang is geweest. Niet zo gek, met die soldaten en dat pistool. Het is leuker om een hondenslee te besturen.

Sergei stapt uit de slee. Hij zakt diep in de sneeuw weg, maar weet toch naar achteren te komen. Hij neemt Merels plaats op de ijzers weer in. Ze gaat naast haar broer zitten en klopt hem even op zijn knie. Melle glimlacht zwak.

Laat Sergei ons nu gaan? denkt Merel. Het is niet ver terug naar de grens, de soldaten zullen ons helpen. Maar redden we het wel in die diepe sneeuw? Heeft hij ten minste nog een chocoladereep voor ons?

Er klinkt een ander geluid. Merel kan hem niet zien, er zijn te veel takken boven haar, maar ergens in de lucht hangt een helikopter. Dat moet dan een Russische helikopter zijn. Dus nu zijn er al twee landen naar hen op zoek!

Merel draait zich om naar Sergei. Hij staat op de ijzers en staart naar de onzichtbare lucht. De helikopter is alweer een stukje verder gevlogen. Hij heeft hen niet gevonden.

'*Free now?*' vraagt Merel.

Sergei schudt zijn hoofd.

'*You wait,*' zegt hij.

Hij klakt met zijn tong en laat de honden lopen. Stapvoets gaat het, behoedzaam tussen de bomen door. De weg loopt nu flink omhoog, Sergei moet meesteppen. En al die tijd blijft hij luisteren en naar boven kijken. De helikopter is nog wel te horen, maar hij verwijdert zich meer en meer.

Rechts naast de slee, haast onzichtbaar tussen de stammen, beweegt iets. Merel denkt eerst dat ze het zich verbeeldt, maar dan ziet ze het weer. Er glijdt iets met hen mee, geluidloos en snel. Iets – of iemand. Iemand op ski's... Sergei heeft het niet in de gaten, die blijft op de lucht letten.

De skiër is nu een eindje op hen voor en draait naar links. Hij lijkt in te houden, af te wachten. Merel durft haast geen adem te halen. Voorzichtig stoot ze haar broertje aan, onder de deken. Maar Melle had het zelf al gezien.

'Upi,' fluistert hij en Merel voelt meteen dat hij gelijk heeft.

Hier is wat meer ruimte tussen de bomen en Sergei vuurt de honden aan. Nog even, dan zijn ze op de plek waar Upi staat te wachten.

Merel ziet hoe hij zich schrap zet. Dan duwt hij zich af en glijdt razendsnel op de slee af, behendig slalommend tussen de zwarte stammen. Melle kan een zucht van bewondering niet onderdrukken.

Pas op het laatste moment heeft Sergei door wat er

gebeurt. Hij heeft geen tijd meer om zijn pistool te pakken. Voor hij het beseft, heeft Upi hem van de ijzers gestoten en ligt hij hulpeloos op zijn rug in de diepe sneeuw.

'Seís, seís!' roept Merel.

De honden blaffen en houden stil.

'*Hyvä on*,' zegt Upi grijnzend en hij steekt een duim op naar Merel en Melle.

Maar Sergei is nog niet verslagen. Tot haar schrik ziet Merel hoe hij zijn hand naar zijn binnenzak brengt. Ze weet heel goed wat hij daarin bewaart.

'Upi!' roept ze. 'Pistool! Hij heeft een, uh, een *gun*!'

Verschrikt kijkt Upi om, maar hij is te laat. Op zijn smalle telemarkski's kan hij zich niet snel genoeg bewegen. Hij staat daar als een levende schietschijf. Het enige wat hij kan doen is naar Sergei slaan met zijn skistokken. En Sergei richt zijn pistool...

Melle duikt plat op zijn buik en verstopt zijn hoofd onder de deken. Merel slaat haar handen voor haar ogen. Ze wil niet zien wat er nu gebeurt.

Heel even is het stil in het bos. De helikopter is verdwenen, de honden houden hun adem in. En dan valt het schot, droog en krakend en zo onvoorstelbaar hard dat Merel begint te gillen. Naast haar gilt Melle ook.

Sergei is een moordenaar.

De honden en Upi

Als Merel weer durft te kijken, zit Sergei gehurkt in de sneeuw en is bezig Upi's schoenen uit te trekken. Upi ligt doodstil op zijn rug. Uit zijn schouder druppelt bloed dat de sneeuw roze kleurt.

Merel wil iets zeggen, iets roepen. Ze wil Sergei uitschelden, maar er komt geen geluid uit haar keel. Melle ligt nog steeds met zijn hoofd onder de deken.

'Is hij dood?' fluistert hij.

Merel antwoordt niet. Hoe moet ze dat weten? Ze kijkt naar Upi's lichaam, bewegingloos en opeens heel klein.

Sergei heeft de schoenen los en trekt ze aan zijn eigen voeten. Dat kost moeite, hij heeft een grotere schoenmaat dan Upi. Maar het lukt uiteindelijk, met veel gevloek. Sergei klikt de schoenen vast in de telemarkski's en pakt de stokken op. Hij skiet naar de slee.

'*He okay,*' zegt hij, met een hoofdknik naar Upi.

Hij ziet er anders helemaal niet oké uit, denkt Merel. Eindelijk vindt ze haar stem terug.

'*Killer,*' zegt ze.

Sergei schudt zijn hoofd.

'*No killer,*' zegt hij. '*Sorry.*'

Hij zegt wel heel vaak sorry, denkt Merel. Ze kijkt hoe Sergei de tas met geld pakt en een touw uit de houten kist haalt. Daarmee bindt hij zijn buit stevig vast op zijn rug. Terwijl hij weg skiet, verder Rusland in, kijkt hij nog een keertje om.

'*You free now*,' zegt hij.

Dan maakt hij vaart en verdwijnt tussen de bomen.

Vrij, denkt Merel. We zijn vrij. Maar wat hebben we eraan? Niemand weet waar we zijn, wijzelf ook niet, en Upi ligt in de sneeuw. Gewond. Of misschien wel dood...

Upi kreunt en beweegt zijn benen. Merels hart slaat een keer over. Hij leeft nog! Ze grijpt Melle bij zijn schouders en schudt hem heen en weer.

'Kom op, Upi leeft,' roept ze. 'We moeten hem helpen!'

Melle komt voorzichtig overeind.

'En Sergei?' vraagt hij.

'Die is er vandoor, op Upi's ski's.'

'O...'

Melle ziet er een beetje dommig uit, vindt Merel.

'Wakker worden! We moeten iets dóén!'

Het lijkt of nu pas tot Melle doordringt wat er aan de hand is. Hij staat op en springt van de slee. Meteen zakt hij weg tot aan zijn dijbenen.

'Hoe deed Sergei dat toch?' roept hij.

Merel heeft een idee.

'Kijk eens aan de achterkant,' zegt ze. 'Daar moet iets zijn... Toen bij de bosrand was hij daar met iets bezig.'

Met veel geworstel bereikt Melle de achterkant van de slee. Hij steekt twee dingen omhoog die nog het meest lijken op tennisrackets zonder handvat. Er zitten riempjes aan.

'Hé!' zegt Merel. 'Die ken ik uit de *Donald Duck*! Dat zijn sneeuwschoenen!'

Melle verdwijnt achter de slee. Merel kijkt over de rand.
Ze ziet haar broertje op de rem zitten. Hij probeert de riempjes vast te maken om zijn voeten.

'Gaat het?' vraagt ze.

Melle bromt wat. Dan staat hij voorzichtig op. Zijn voeten zakken een klein stukje in de sneeuw, niet meer dan een
centimetertje. Melle doet een stap, en nog eentje. Hij zakt
niet verder weg.

'Dit werkt,' zegt hij.

'Hangen er nog meer?' vraagt Merel.

Melle schudt zijn hoofd.

'Alleen deze twee,' zegt hij.

'Dan moet je Upi alleen tillen,' zegt Merel. 'Lukt dat wel?'

'Ik ga het proberen.'

Upi ligt weer doodstil en Merel ziet dat Melle het eng

vindt om hem aan te raken. Er druppelt gelukkig geen
bloed meer in de sneeuw.

'Onder zijn oksels,' zegt Merel. 'Voorzichtig...'

'Doe het zelf als je alles zo goed weet,' zegt Melle boos.

Maar het lukt hem Upi half overeind te krijgen en een
stukje te verslepen. Upi kreunt.

'Het spijt me Upi,' zegt Melle hijgend. 'We kunnen je hier
niet laten liggen.'

Stukje voor stukje sleept Melle Upi naar de slee. Merel
gaat over de zijkant hangen om te helpen tillen. Upi is niet
groot, maar hij weegt behoorlijk wat met al die winterkle-
ding. Het kost veel moeite hem in de slee te krijgen, maar
uiteindelijk ligt hij languit op de rendierhuiden. Merel legt
de deken over hem heen. Ze ziet dat ze bloed aan haar handen heeft.

'Arme Upi,' fluistert ze. 'En ik vond die Sergei nog wel zo
aardig... Ik had nooit gedacht dat hij dit zou doen...'

Upi opent zijn ogen en kijkt Merel aan. Hij glimlacht
flauwtjes.

'*Hyvä on*,' zegt hij.

Dat zei hij ook toen hij Sergei van de slee geslagen had,
denkt Merel. Het zal wel betekenen dat alles in orde is. En
ook nu is het niet waar, want Upi ziet lijkbleek en hij ligt te
rillen onder de deken.

Merel klimt over de rand van de slee en gaat op de ijzers
staan. Melle heeft net de sneeuwschoenen uitgetrokken.

'Ga jij bij Upi zitten,' zegt Merel. 'Ik zal wel sturen, dat
ging net ook goed.'

'Je moet eerst keren,' zegt Melle.

Ja, dat is waar. Als Merel het spoor terug naar de grens wil volgen, zal ze de slee moeten draaien. Maar hoe kan dat, in dit bos?

Merel besluit een grote bocht te maken, ergens op een open plek. Die zullen ze heus wel een keer tegenkomen. Voorlopig volgen ze dus het skispoor van Sergei, voorzichtig en langzaam om Upi niet onnodig pijn te laten lijden.

'Breng ons thuis, Wagner,' mompelt Merel. 'Je hebt het beloofd...'

De honden zijn onrustig, ze kijken voortdurend om naar Merel alsof ze willen vragen of dit wel de bedoeling is, of ze niet de andere kant op zouden moeten. Slimme honden.

'We gaan draaien als het kan,' zegt Merel. 'Ik moet de ruimte hebben.'

'Kan het nier niet?' vraagt Melle vanuit de slee. 'Upi heeft pijn en zijn wond is weer gaan bloeden.'

Merel kijkt om zich heen. Als ze naar rechts stuurt, kan ze misschien tussen de bomen door wel keren. Ze gaat met twee voeten op het rechterijzer staan. Voor de honden is het hier zwaar, ze zakken weg in de sneeuw en komen nauwelijks vooruit.

'Doe de sneeuwschoenen aan,' zegt Merel tegen Melle. 'Je moet helpen duwen.'

Ze gooit de sneeuwschoenen in de slee en Melle gespt ze onder zijn voeten. Dan springt hij over de zijkant en zet zijn schouders tegen de bak. De honden kijken dankbaar om.

Na een paar minuten ploeteren staat de slee weer op het spoor, en nu in de goede richting. Melle klimt hijgend terug naar zijn plek.

'Hartstikke goed!' roept Merel. 'We gaan terug naar Finland!'

Maar nog zijn de honden schichtig en onrustig. Ze steken hun snuiten in de lucht en janken zacht.

Wat is er toch met ze, denkt Merel, wat ruiken ze? Wat voelen ze?

Ze klakt met haar tong en stept een stukje mee. De honden gehoorzamen, maar niet van harte. In de slee kreunt Upi licht. Bezorgd kijkt Merel even naar beneden.

Als ze weer opkijkt, staat er een beer op het pad.

Op leven en dood

Nog nooit in haar leven is Merel zo ontzettend geschrokken. Zelfs toen Sergei er met de slee vandoor ging, of zelfs toen hij op Upi schoot, was ze niet zo bang als nu. Ze durft niet naar Melle te kijken, maar ze weet zeker dat die net zo bang is als zij.

De beer is vaalbruin en kolossaal groot. Hij staat bewegingloos op vier poten midden op het pad en kijkt met zijn kraaloogjes naar de slee. De honden hebben zich plat in de sneeuw gedrukt, klaar voor een aanval. Het hele bos houdt de adem in.

Was Sergei er nog maar, denkt Merel. Dat vreselijke pistool van hem zou nu heel goed van pas komen...

De beer begint met zijn kop te wiegen, eerst nauwelijks merkbaar maar al sneller woester. Zijn priemende ogen zijn op de honden gericht. Heel dat machtige lijf komt in beweging, het zwaait heen en weer.

Een voor een komen de voorpoten los van de grond, hoger en hoger, tot het beest zich op zijn achterpoten opricht, de voorpoten klauwend in de lucht. De beer zet een stap vooruit, en nog een...

Wat gaat hij doen? denkt Merel. Hij hoeft maar iets dichterbij te komen en zich voorover te laten vallen en we zijn allemaal dood, verpletterd onder het gewicht...

Upi mompelt iets.

'Wat? Wat zegt hij?' fluistert Merel.

'Iets met *dogs*,' sist Melle terug.

'*Free*,' zegt Upi. '*Free the dogs*.'

Natuurlijk! denkt Merel. De honden zijn kansloos als ze aan de lijn zitten. Maar hoe krijg je ze los? Daarvoor zou ze naar voren moeten, naar de beer toe... Durft ze dat?

Nog een stap dichterbij komt het beest en het grijnst zijn scherpe tanden bloot. Een diep en dreigend gegrom komt uit zijn keel.

Het moet, denkt Merel. Het kan niet anders.

Voorzichtig, om het dier niet te laten schrikken, klimt ze over de slee naar voren. Naast haar doet Melle hetzelfde, behoedzaam en zwijgend.

De beer staat stil en kijkt, alsof hij probeert te begrijpen wat er gebeurt. Vanaf de slee haken Merel en Melle de achterste twee honden van de lijn. Melle trekt er zachtjes aan om de andere honden dichterbij te krijgen. Met tegenzin glijden de honden over de sneeuw, Wagner is nu ook los, en zijn maatje. Alleen nog Patte en Roosa...

De beer besluit dat het genoeg is geweest. Brullend stort hij voorover. In één klap slaat hij Wagner een paar meter weg. Het jonge dier belandt jankend in de sneeuw, maar komt weer overeind.

De andere drie honden vliegen op de beer af, bijten hem waar ze maar kunnen. Het beest deinst terug, hij lijkt geschrokken van de tegenstand.

Snel haakt Melle Roosa los. Merel laat Patte vrij.

'Pak hem, Patte,' roept ze.

De sterke hond blaft en werpt zich in de strijd. Met een enorme sprong landt hij op de rug van de beer en bijt zich vast in zijn nek.

Het machtige dier brult en richt zich weer op, in een poging Patte van zich af te schudden. Onmiddellijk hapt Roosa in zijn buik, terwijl Wagner een enkel te grazen neemt.

Wolven, denkt Merel. Papa had toch gelijk. Het zijn net wolven, en ze hebben gemeen scherpe tanden. Dat valt haar nu pas op. Maar ze is er blij mee.

Het lawaai is onbeschrijflijk. Als de honden niet bijten, blaffen ze opgewonden of ze janken hartverscheurend als de beer ze een mep verkoopt. Het beest zelf brult van pijn en woede.

Merel en Melle gillen en moedigen de honden aan.

Dit is een gevecht op leven en dood. Een van de honden is piepend onder de slee gekropen, een andere ligt verderop onder een boom en beweegt niet. De beer heeft bloedende wonden, maar geeft niet op. Hij is zo sterk, zo dodelijk in zijn razernij...

Ook Wagner bloedt, ziet Merel. Hij zit versuft in de sneeuw. De beer heft een poot...

'Hout!' brult Merel opeens. 'Het brandhout!'

Melle opent de kist voorop de slee. Hij haalt er een armvol houtblokken uit. Merel gooit er twee tegelijk naar de kop van de beer. Ze mist. Melle heeft meer geluk: met een groot brok hout raakt hij het beest vol op de neus.

De beer wankelt, verdwaasd. Dan schudt hij zijn kop en hobbelt op de slee af, met Roosa en Patte aan zijn enkels. Merel en Melle blijven gooien, een regen van hout daalt neer op de berenkop.

Het lijkt de beer niet te deren. Nog een paar stappen, dan is hij bij hen. Dan zullen ze de kracht van die grote klauwen voelen, of van die opengesperde muil.

Het hout is op. Melle slingert de koffiepot nog weg, maar hij mist. Er is niets meer aan te doen. Ze hebben geen wapens meer. Angstig kruipen ze weg tegen de achterkant van de slee, waar Upi hulpeloos ligt toe te kijken.

'Eronder!' gilt Melle. 'We moeten eronder kruipen!'

'En Upi dan?' schreeuwt Merel. 'We moeten Upi beschermen.'

'No, no,' kreunt Upi. 'You go!'

Merel aarzelt. Ze wil Upi niet alleen laten, maar hem helpen kan ze ook niet. Het is nu ieder voor zich. En dan maar kijken wie het overleeft...

Ze rolt opzij en over de rand. Melle doet hetzelfde aan de andere kant. Ze zijn maar net op tijd; Merel voelt een klauw rakelings langs haar rug scheren. Met een krakende klap komt hij achter haar op het houtwerk terecht. Upi kreunt, misschien is hij geraakt...

Hoe lang kan de slee ons beschermen? denkt Merel. Met twee, drie van die klappen is hij aan splinters geslagen. En dan zijn we helemaal weerloos.

Een krakend schot klinkt door het bos, en nog een, en weer. Drie kogels fluiten over Merels hoofd, en alledrie treffen ze doel.

De beer wankelt. Dan brult hij nog een laatste keer, zwak en rochelend. Zijn knieën begeven het, hij zakt in elkaar. De grote kop schudt een paar keer, alsof het beest verbaasd is over wat hem wordt aangedaan. Dan draait hij zich om en verdwijnt langzaam tussen de bomen.

Merel sluit haar ogen en laat haar tranen lopen. Naast zich hoort ze Melle hijgen.

'Het was Sergei,' zegt hij. 'Sergei is teruggekomen.'

Merel wrijft haar ogen droog en draait zich om. Maar Sergei is alweer verdwenen, nog altijd op de vlucht.

'Hij moet het gevecht gehoord hebben,' zegt Melle. 'Hij is teruggekomen om ons te helpen...'

'*Kiitos*,' gilt Merel naar het lege bos. '*Thank you!*'

'Zag je dat?' vraagt Melle. 'Drie schoten in zijn pens en dat beest loopt gewoon door. En wat nu?'

Melle is opgestaan en kijkt om zich heen. Merel volgt zijn blik. Roosa en Patte liggen midden op het pad, uitgeput en rillerig. Wagner is bij zijn maatje onder de slee gekropen. Beide honden hebben een wond aan hun kop; ze likken elkaar schoon. De hond onder de boom beweegt nog steeds niet, die is misschien wel dood. En van de zesde hond ontbreekt ieder spoor.

Merel buigt zich over Upi. Hij heeft een bloedende schram over zijn wang. Daar heeft de beer hem geraakt. Het ziet er niet heel ernstig uit.

'*Hyvä on?*' vraagt Merel.

Upi glimlacht. Dat is dus in orde.

'*Fire*,' zegt hij. '*Make fire.*'

Melle begrijpt meteen wat de bedoeling is. Hij trekt de sneeuwschoenen aan en begint zwijgend houtblokken te verzamelen. Hij bouwt er een mooi stapeltje van dat hij aansteekt met wat schors en splinters uit de kist.

Zo gauw het vuurtje flink brandt, gooit hij er handen sneeuw op. Dikke stoomwolken zoeken hun weg tussen de bomen.

'En nu maar wachten op die helikopter,' zegt Melle.

Gered

Uiteindelijk is het papa die hen vindt, samen met een paar Finse agenten en een Russische soldaat die geen woord zegt en heel streng kijkt. Ze rijden met z'n allen op sneeuwscooters en papa zit achterop. Hij wordt bleek als hij het bloed op de sneeuw ziet, en Upi in de bak van de slee.

'Wat is er allemaal gebeurd?' stamelt hij. 'Lieverds, wat verschrikkelijk...'

Merel en Melle zijn te moe en te koud om iets te kunnen uitbrengen. Zwijgend vallen ze hun vader om de hals. Van een politieagent krijgen ze een soort mueslireep te eten en een beker hete thee.

Daarna gaan ze achterop bij de agenten om terug naar de grens gebracht te worden. Een andere agent haakt de slee aan zijn sneeuwscooter. De honden mogen erin zitten, naast Upi. Dat is weer eens wat anders voor ze. Zelfs de dode hond gaat mee, op Upi's schoot. Hij wil het dier niet achterlaten.

'Upi en de honden,' zegt Melle toonloos.

Merel antwoordt niet. Ze kijkt haar broertje aan. Hij is bleek, ziet ze, alle wintersportbruin is van zijn gezicht verdwenen. Ziet zij er zelf ook zo uit?

Net als de stoet zal vertrekken, komt de zesde hond uit het bos gelopen. Hij springt ook aan boord. En daar gaan ze dan, nog één keer door het Russische woud. De soldaat rijdt op kop, stram in de houding.

De reis gaat stukken sneller op sneeuwscooters, en dan doen ze nog kalm aan om Upi een beetje te ontzien. Binnen een halfuur staan ze bij de grenspaal en neemt de Russische soldaat afscheid.

'*Thank you*,' zegt Merel.

Ze geeft de soldaat een kus en hij glimlacht erom. Dat kan hij dus wel.

Er staat al een helikopter te wachten die Upi naar het ziekenhuis zal brengen. De dokter die is meegekomen zegt dat de wond niet heel ernstig is. Met een dag of wat zal Upi weer thuis zijn. Misschien kunnen Merel en Melle hem zelfs nog zien voor ze terugvliegen naar Nederland. Maar voor de zekerheid nemen ze uitgebreid afscheid.

'*Bye, Upi*,' zegt Merel.

Ze knuffelt hem even. Hij ruikt naar honden en rendieren.

'*Brave girl*,' zegt hij.

Dat betekent dapper meisje, en Merel krijgt er rode wangen van. Misschien is het wel waar, denkt ze. Misschien mogen we trots zijn op onszelf.

Melle geeft alleen een hand, en papa doet hetzelfde.

'*Get well soon*,' zegt hij.

Met z'n drieën kijken ze hoe Upi in de helikopter verdwijnt. Hij zwaait nog even voor de deur gesloten wordt. De honden blaffen. Dan stijgt de machine langzaam op. Sneeuw stuift hoog tussen de bomen.

Merel en Melle blijven zwaaien tot de helikopter verdwenen is. Upi is tenslotte hun held, net als zijn honden. Zonder de honden hadden ze niet meer geleefd. Dan was Sergei nooit op tijd geweest.

En Sergei is ook een held, denkt Merel. Ondanks alles.

De sneeuwscooter met de slee vertrekt naar de boerderij. Drie sneeuwscooters zetten koers naar het vakantiekamp. Naar mama, naar de blokhut, naar de sauna. Naar een wc.

Naar bed.

Sergei

Merel wordt wakker van de geur van gebakken eieren. Ze hoort papa zachtjes zingen in de keuken. Is het ochtend? Heeft ze een halve dag en een nacht geslapen? Het zou kunnen, ze voelt zich heel erg uitgerust.

Melle ligt niet in zijn bed. Zo te horen staat hij te douchen. Wat voor dag is het vandaag? Zaterdag. Op donderdag gingen ze met de honden weg, dus het moet zaterdagochtend zijn. Maar... Dan zijn de skiwedstrijden vandaag!

Met één sprong is Merel uit haar bed. Snel trekt ze een T-shirt en een spijkerbroek aan. Tevreden merkt ze dat haar knie haast geen pijn meer doet. Mama heeft haar mooie nieuwe pakje netjes opgevouwen, ziet ze. Misschien is het zelfs al gewassen.

In het gangetje naar de kamer komt ze mama tegen.

'Dag lieverd, uitgerust?'

Mama glimlacht, maar je kunt zien dat ze bezorgd is. Nu pas bedenkt Merel hoe erg die twee dagen voor papa en mama geweest moeten zijn. Ze hebben zich natuurlijk de meest vreselijke dingen in hun hoofd gehaald.

Veel eerder dan Merel en Melle hebben hun ouders geweten wie en wat Sergei precies was. Dat heeft de politie ze heus wel verteld. Misschien hebben ze zelfs gedacht dat hun kinderen dood waren, toen ze de hele nacht wegbleven.

'Die Sergei was aardig, mama,' zegt Merel om haar gerust te stellen. 'Hij heeft ons nooit kwaad willen doen.'

'Hij heeft Upi neergeschoten,' zegt mama.

'Ja, maar op een plek waar hij niet dood van zou gaan. En hij kwam terug toen de beer ons aanviel. Hij heeft ons eten en drinken gegeven, en een hut voor ons gebouwd.'

'Het is en blijft een boef, lieverd. Dat moet je niet vergeten.'

Merel kijkt koppig een andere kant op.

'Maar je hebt gelijk,' zegt mama dan, 'het had erger kunnen zijn. Ik ben blij dat hij jullie goed behandeld heeft.'

'Hoor ik daar een wakkere dame?' brult papa vanuit de keuken. 'Precies op tijd, het ontbijt wordt geserveerd.'

Melle stapt met natte haren uit de badkamer. Ze maken er een wedstrijd van wie het eerst aan tafel zit. Binnen de kortste keren zijn alle eieren verdwenen en twee pakken melk leeggedronken. En dan komen de verhalen.

Merel en Melle vertellen het hele avontuur, soms door elkaar heen of kibbelend over hoe iets nou precies gegaan is. Papa en mama luisteren zwijgend.

'Nou, en toen kwam jij, pap,' zegt Merel tot slot.

En daarna vertellen papa en mama. Over hoe ze papa gevonden hadden, alleen en zonder slee aan de rand van het bos. Over de politie, de nachtelijke zoektocht. Over speurhonden in de sneeuw.

Upi is de hele nacht doorgegaan, vertelt mama. Hij ging niet slapen toen de anderen ermee ophielden.

'Ik had ook wel verder willen zoeken,' zegt papa. 'Maar dat kon niet. Ik ken dit land niet en Upi zou alleen maar last van me gehad hebben. Zo gauw het licht werd, haalde de politie me weer op. Een uur later kwam het bericht dat jullie de grens over waren. Daarna ging het snel...'

'Snel?' vraagt Merel.

'Nou ja, niet snel genoeg natuurlijk,' zegt papa. 'Maar gelukkig deed de Russische politie niet moeilijk. We mochten meteen de grens over.'

Merel is even stil. Ze kijkt naar Melle. Hij denkt precies hetzelfde als ik, weet ze. Maar hij vraagt het niet, dus moet ik het doen.

'Is Sergei gepakt?'

'Dat weten we niet,' zegt mama. 'Hij is in Rusland, de Finse politie kan daar verder niks doen. Ik denk wel dat ze het ons komen vertellen als ze iets horen.'

Ik hoop dat hij wegkomt, denkt Merel. Ik hoop dat hij een leuk huisje kan kopen met zijn tas vol geld. En dat hij dan kinderen krijgt. Een tweeling. Dan laat hij dit soort stomme dingen voortaan wel uit zijn hoofd.

'Ik hoop dat ze hem niet pakken,' zegt Melle zacht.

Zie je wel, denkt Merel. *Illegal Russian... Nice Russian.*

'Ik ook,' zegt ze. 'Hoe laat is het?'

'Kwart over tien, hoezo?'

'Dan moeten we opschieten,' zegt Melle. 'De wedstrijden beginnen om elf uur!'

Cadeaus

Het is druk op de piste. Het hele stadje is uitgelopen om de wedstrijden te zien of om eraan mee te doen. Zelfs de kerstman is er, met een pijpje in zijn mond. Alleen de dame met de skilator lijkt te zijn thuisgebleven.

'Jammer,' zegt Merel vals tegen Melle, 'met haar erbij was er nog een kans geweest dat je niet laatste wordt...'

Het verhaal over het avontuur met de hondenslee is al rondgegaan, merkt Merel. Hoewel ze er niets van verstaat, begrijpt ze dat iedereen over hen praat. Ze worden aangestaard en toegeknikt, en als de omroeper hun namen voorleest, 'the two children from Holland', klinkt er zelfs applaus.

'We zijn beroemd,' zegt Melle.

Hij zwaait naar de skilerares waar hij al de hele week een oogje op heeft, ook al is ze minstens twee keer zo oud als hij. Ze zwaait terug.

'Kinderlokker,' mompelt Merel.

Maar dat is eigenlijk niet zo erg grappig.

Op de piste is een slalomparcours uitgezet. Van onderaf ziet het er niet al te moeilijk uit, maar als Merel even later bovenaan de helling staat, merkt ze dat het een lastige afdaling gaat worden. Vooral op de steile stukken staan de poortjes wel heel erg dicht bij elkaar...

Als het haar beurt is, haalt ze diep adem en zet af. Ze

denkt aan Upi en hoe hij tussen de bomen door aan kwam skiën, nog maar een dag geleden. Zo makkelijk, zo soepel... Zo moet zij het nu ook doen.

Tot het laatste poortje gaat het goed, maar dan begint haar geblesseerde knie weer op te spelen. Teveel klappen gehad in de laatste paar bochten. Merel verliest haar evenwicht en glijdt met poortje en al over de finish. Papa trekt haar overeind.

'Volgens mij zat je aan de goede kant toen je viel,' zegt hij. 'Dat is het enige wat telt.'

De omroeper meldt dat Merel de derde tijd heeft gehaald. Helemaal niet slecht voor iemand uit het platte Nederland.

Dan is het de beurt aan de snowboarders. Melle komt als eerste naar beneden. Knarsetandend ziet Merel hoe hij zonder fouten over de finish glijdt. Uiteindelijk wordt hij vierde. Heel goed natuurlijk. De skilerares juicht.

Als ook alle volwassenen beneden zijn, is het tijd voor de prijsuitreiking. De burgemeester geeft Merel een klein bekertje en een stevige hand. Hij zegt iets in het Fins dat erg aardig klinkt.

'Of je nog even wilt blijven,' zegt een Nederlandse man met een bril die blijkbaar Fins verstaat. 'Jij en je broertje, na de prijsuitreiking.'

Merel knikt.

Voor Melle is er een soort diploma en daarna is het wachten tot alles voorbij is. De burgemeester blijkt van praten te houden, hij heeft voor iedereen een heel verhaal. Eindelijk is ook de grootste beker uitgereikt. De burgemeester roept Merel en Melle naar voren. Ze krijgen ook een lang verhaal over zich heen.

'De burgemeester zegt dat jullie verschrikkelijk dappere kinderen zijn,' vertaalt de man met de bril. 'Hij vindt het heel vervelend wat jullie is overkomen. Finland is een veilig land, zegt hij. Je kunt er heerlijk vakantie vieren. Jullie hebben enorme pech gehad.'

Ja, dat weet ik zelf ook wel, denkt Merel. Waarom moet hij dat allemaal vertellen?

'Eigenlijk hadden jullie dus een mislukte vakantie,' gaat de man met de bril door. 'En de burgemeester wil het goedmaken. Hij nodigt jullie uit om volgend jaar terug te komen, gratis en voor niets, voor twee hele weken.'

'Dat is geweldig,' hoort Merel papa stamelen. Hij staat achter haar.

'Dank u wel,' zegt mama, naast hem.

Merel is ook blij. Terug naar Finland, naar Upi. Terug naar de honden. Naar Wagner! Ze ziet dat Melle ook staat te stralen. Die denkt natuurlijk: Terug naar mijn skilerares.

En er zijn nog meer cadeautjes. Merel krijgt een klein stukje steen met echt goud erin. Voor Melle is er een zakmes van rendiergewei. Mama krijgt een prachtige muts, nog kleurrijker dan die van Merel. En papa?

Voor papa is er een plastic zakje met drie Finse eurocenten.

Tips: Overleven in de winter

Algemeen

Een tocht in de natuur is nooit zonder gevaar, en winterse omstandigheden maken de risico's alleen maar groter.

Ga nooit alleen op pad! Het beste is om minimaal met z'n drieën te gaan. Als er dan met iemand iets gebeurt, kan de tweede hulp gaan halen terwijl de derde bij het slachtoffer blijft.

Ga nooit verder dan een uur lopen weg van de bewoonde wereld en gebruik aangegeven routes.

Neem een kaart mee en een kompas. Een flink stuk stevig touw en een mes kunnen ook erg handig zijn. En zorg dat je altijd lucifers bij je hebt, goed verpakt in een plastic zakje tegen het nat worden.

Voor langere tochten heb je meer nodig, dat lees je hieronder.

Kleding

Zorg dat je altijd goed gekleed bent als je in de vrieskou naar buiten moet. Ook al ga je alleen wat brandhout halen, kleed je aan! Je weet maar nooit wat er gebeurt.

Begin met speciaal poolondergoed (thermisch ondergoed) en trek daar zoveel mogelijk laagjes overheen. Drie T-shirts over elkaar geven meer warmte dan één dikke trui!

Kies natuurlijke materialen, zoals linnen, katoen en wol, zodat je kunt blijven zweten.

Zorg voor waterdichte, stevige schoenen en gebruik *gamaschen* (een soort overschoenen) als je de diepe sneeuw in gaat.

Zorg dat je altijd iets op je hoofd hebt: de meeste warmte verlies je via je kruin.

Ook handschoenen zijn noodzakelijk. Trek ze alleen uit als je niet anders kunt, en zo kort mogelijk.

Pas op met metaal in de kou: het kan zo koud worden dat je eraan vastvriest. Daar kun je net zulke wonden van oplopen als bij verbranding.

Er zijn handige zakjes te koop die warm worden als je ermee schudt. Het kan geen kwaad er daarvan een paar in je zak te hebben als je op pad gaat.

De weg vinden

Natuurlijk zijn er allerlei kompassen en navigatiesystemen te koop, maar die heb je meestal niet bij je als je een winterwandelingetje maakt. En stel dat je dan toch verdwaalt? Zorg ervoor dat je weet welke kant je uitgaat als je vertrekt, dan weet je ook hoe je terug moet komen.

De zon schijnt maar kort in de winter. Zie je hem toch, dan kun je makkelijk het zuiden vinden: daar staat de zon op het midden van de dag.

Maar er zijn meer manieren.

Vriesnachten zijn vaak helder, zodat je de sterren te hulp kan roepen. Zoek het sterrenbeeld de Grote Beer. Dat is heel helder en ziet er ongeveer zo uit:

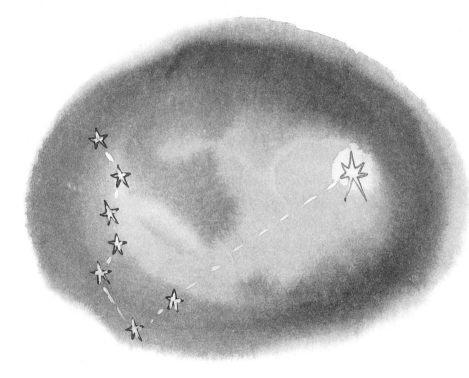

Let op: het kan ook gedraaid zijn of zelfs op zijn kop staan!

Trek een denkbeeldige lijn tussen de twee meest rechtse sterren en volg die lijn verder naar boven tot je een heldere ster tegenkomt. Die ster is de laatste van het sterrenbeeld Kleine Beer en heet de Poolster. Hij staat recht in het noorden.

Geen zon of sterren te zien? Kijk naar de bomen. Als er mos op de stammen groeit, is dat altijd maar aan één kant. Die kant is het oosten.

Overnachten

Ben je toch niet voor het donker teruggekeerd in de bewoonde wereld? Dan moet je het een nacht zien uit te houden.

Probeer vuur te maken. Dat geeft niet alleen warmte, maar houdt ook roofdieren als de beer en de wolf op afstand.

Graaf een hol in de sneeuw. Misschien geloof je het niet, maar sneeuw isoleert heel goed en een kleine sneeuwhut kun je al met je eigen lichaamstemperatuur verwarmen.

Probeer wakker te blijven. Als je slaapt, kun je veel eerder bevriezen. Beweeg je armen en benen regelmatig. Gaan ze tintelen? Dan zit je tegen bevriezing aan. Ga dan liever lopen dan nog langer stil te zitten.

Eten en drinken

Het is bijna niet mogelijk om in de sneeuw iets eetbaars te vinden. Ook dieren zijn schaars en meestal behendiger dan jij. De meeste bessen die in de winter groeien zijn giftig. Blijf daar dus af!

IJsvissen is een mogelijkheid, maar daar moet je dan wel de spullen voor bij je hebben: een ijsbijl, een zaag en visgerei. Het vergt veel kennis en geduld.

Beter is het om wat voedsel mee te nemen als je er in de winter op uit gaat. Mueslirepen zijn klein en licht, maar leveren veel energie. Dat geldt ook voor suikerklontjes.

Als je geen beekje tegenkomt (snelstromend water bevriest niet), kun je wat sneeuw smelten boven je vuurtje. Zorg dus dat je een metalen bekertje bij je hebt. Hang het aan een tak boven je vuur en pas op als je het daar weer af haalt, want het wordt gloeiend heet.

In de bergen

Bedenk dat het weer bovenop een berg of heuvel heel anders kan zijn dan in het dal. Wat beneden een fris windje was, kan op de top een loeiende storm zijn. Bovendien slaat het weer in de bergen razendsnel om. Ga niet op pad zonder een ervaren gids!

Als er veel verse sneeuw gevallen is, of de dooi is ingetreden, kunnen er lawines ontstaan. Blijf dan weg bij steile hellingen en probeer geen geluid te maken. Een schreeuw is soms al genoeg om het hele sneeuwdek aan het schuiven te brengen.

Zorg dat je skistokken bij je hebt. Kom je toch onder de sneeuw terecht, dan kun je die omhoog steken. Zo kunnen redders je sneller vinden.

Wilde dieren

Wilde dieren zijn bijna altijd banger voor jou dan jij voor hen. Ze willen je liever uit de weg gaan. Geef ze die kans. Kom niet dichterbij en val niet aan. Meestal zullen de dieren dan vanzelf vertrekken.

Word je toch aangevallen, zoek dan een veilige plek op. Voor wolven kun je bijvoorbeeld in een boom vluchten. Beren en katachtigen klimmen echter heel goed. Daar helpt niet zoveel tegen.

Is het dier heel dichtbij, dan kun je proberen het hard op de neus te slaan. Dat is de gevoeligste plek. Als het dier daar niet van op de vlucht slaat, heeft het in elk geval zoveel pijn dat het een tijdje uitgeschakeld is. Gebruik die tijd om te vluchten.

Anders dan je in films soms ziet, is het ontzettend moeilijk een dier met een mes te doden. Probeer het dus niet, het is verspilde, kostbare moeite!

FOTOWEDSTRIJD

Win deze rugzak vol boeken...
...voor jezelf,
...voor je broer, je zus of wie je maar wil
...of voor je klas!

Zo doe je mee
1 Maak een vakantiefoto van jezelf met je favoriete boek
2 Mail de foto naar communicatie@leopold.nl
3 Vermeld in de mail je voor- en achternaam, je telefoon.
  nummer en je leeftijd
4 Zet in de onderwerpbalk: VAKANTIE-boekenfoto

Kijk voor meer informatie op:
www.leopold.nl

Winnaars krijgen een mail en komen
met foto en al op de site!

Over de uitslag kan niet worden gecorrespondeerd.

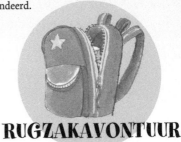

RUGZAKAVONTUUR

Mirjam Oldenhave
Rampenkamp

Joosje vindt het vreselijk dat ze in de kerstvakantie naar een kamp moet. Kamp voor Kanjers heet het. Maar Joosje weet wel beter. Echte kanjers gaan snowboarden of skieën. Dit is het kamp voor verlegen kinderen. Ze moet er de meest afschuwelijke dingen doen, zoals toneelspelen en klimmuurklimmen.

Dan ontmoet ze Stevie. Hij heeft een capuchon die zo groot is dat je zijn gezicht niet kan zien. Handig als je moet blozen! Meteen weet Joosje dat Stevie op z'n minst net zo verlegen is als zij. En als Stevie de eerste dag al wegloopt, is er maar één persoon die weet waar ze hem kan vinden...

RUGZAKAVONTUUR

'Mam, hoef ik alsjeblieft niet naar dat kamp in de kerstvakantie?' vroeg Joosje.

Ze bleef naar haar bord kijken, anders zag haar moeder dat ze verlegen was. En dat kamp was juist bedoeld voor verlegen kinderen.

'Je moet het gewoon weigeren,' zei haar moeder.

Verbaasd keek Joosje op, maar toen zag ze dat haar moeder het tegen haar vader had.

'Je zegt maar dat je het te druk hebt, dat doen je collega's zelf toch ook altijd?' ging haar moeder verder.

'Dat klopt eigenlijk wel een beetje,' mompelde haar vader, terwijl hij naar zijn eten staarde.

'Nee, niet een beetje, het klopt gewoon.'

Haar moeder stopte een hele aardappel in haar mond.

Joosje ging rechtop zitten en haalde diep adem.

'Mam, hoef ik alsjeblieft niet naar dat kamp?' vroeg ze nog eens.

Ze hield haar vingers gekruist. Alsjeblieft, alsjeblieft...

Hoe overleeft Joosje het Kamp voor Kanjers?
Lees het in Rampenkamp, *geschreven door*
Mirjam Oldenhave.

Haye van der Heyden
Verdwaald op zee

Joris baalt ervan dat er op vakantie in Frankrijk geen Nederlandse kinderen zijn, behalve een meisje. Moet hij daarmee spelen? Hij dacht het niet!

Maar alleen is maar alleen. Joris moet toegeven dat Nikki best stoer is. Stoerder dan hij, dat merkt hij wel als ze tijdens een stiekeme boottocht verdwalen op zee. Dan moet je goed met elkaar kunnen opschieten! Maar Nikki wordt boos op Joris. Als er in de verte een vissersboot langskomt wil Joris zich bewijzen. Hij bedenkt een list.

RUGZAKAVONTUUR

Marjon Hoffman
Mooi niks!

Lex ziet het helemaal zitten: op vakantie naar een strand-camping in Frankrijk waar je allerlei leuke watersporten kunt doen. Totdat blijkt dat zijn moeder wel een heel rare camping heeft uitgezocht. Iedereen loopt daar gewoon in zijn blootje!

Om je rot te schamen! Daar doet Lex dus niet aan mee. En laat die mountainbike ook maar zitten, daar heeft natuurlijk iemand met zijn blote billen op gezeten.

Lex en zijn broer Morris doen de rest van de vakantie net of ze niet bij die rare nudisten horen, maar op de gewóne camping daarnaast staan. Zeker wanneer ze op het strand twee leuke meisjes ontmoeten...

RUGZAKAVONTUUR